目錄

齊來磅一磅

每樣東西都有重量：小貓、筆盒、朱古力……要量度不同東西的重量，就要使用不同的工具，我們較常用的是「磅」。先將要量度的物件放在磅上，等待磅上的指針停定後，就可以閱讀刻度，從而知道物件有多重了。有時候，我們眼看體積較大的物件，不一定等於它的重量就較重，這時使用工具量度就更準確了。一般磅上的數字都是以克(g)或公斤(kg)作單位，而1,000克=1公斤。

量度重量的工具

量度重量的工具有很多種，如何選擇最合適的工具呢？我們閱讀工具上標示的單位及數字就可知道了。例如量度人的體重會使用體重計，上面顯示了0至120和單位公斤(kg)，數字代表了體重計最高可量至120kg，如果高於120kg就無法用體重計量度了。另外天平則用於量度重量及體積較小的東西；還有在中藥房會看到有人用秤來秤藥材呢！

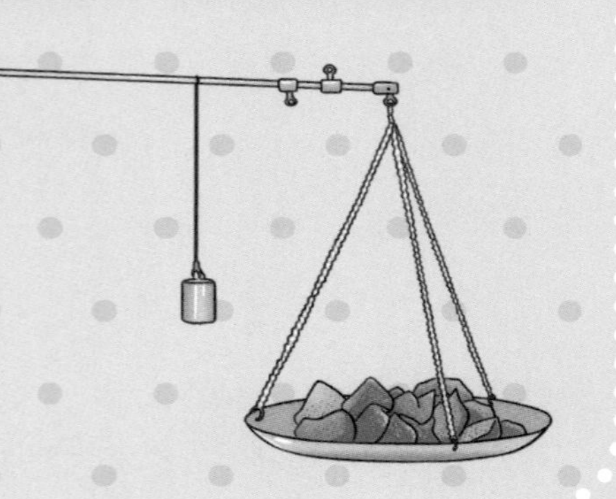

磅磅看

小偉搜集了家裏不同的物件，放在磅上量量看，看看我們日常生活接觸到的東西到底有多重。試閱讀磅上的刻度(紅針指向的數字)，填上不同物品的重量吧！

廚房尋寶找出容量單位

日常生活中一些容器，例如水樽、牛奶盒、藥水等，這些會盛載像水一樣液體的器皿，其實都可以計算出它的容量。常用的容量單位為毫升(ml)或升(l)，而1升=1,000毫升。這些容器可能本身已寫明有多少容量，或像水樽或量杯一樣，在容器上已畫上刻度。

不精確的容量單位

除了毫升(ml)或升(l)這兩個常用的容量單位外，還有較常用於廚房煮食的容量單位：杯、湯匙、茶匙、安士、加侖等等。其中杯、湯匙、茶匙不是很精確的量度工具，但用於煮食已經足夠。

找找看

試試在廚房找出圖中物品的容量單位。如果不清楚的話不妨問問媽媽，但記住不要弄亂廚房啊！如果廚房沒有這些物品，可到超級市場查看一下。請在橫線上寫下它們是使用甚麼容量單位(毫升/ 升/ 杯/ 安士)。

炮製美味甜品的時間

我們每天都依照學校時間表上下課，合宜的時間規劃可以使我們吸收不同知識之餘，也有和朋友午膳、談天或玩樂的時間。要學懂時間規劃，首先要學會看時鐘。時鐘上設置了時針、分針、秒針。較短的是時針，較長的為分針，最幼並不停運轉的是秒針。時間的單位是小時、分鐘、秒。如字面意思，時針、分針、秒針就是分別顯示小時、分鐘、秒。1小時即是60分鐘，而1分鐘就有60秒。

下午6時和18時是一樣的時間嗎？

有些電子時鐘會顯示出18:00、22:00的時間格式，但一般時鐘不是只顯示到12時嗎？其實一天當中總共有24小時，而時鐘只顯示1至12的數字，所以1至12時在日間和夜晚都會分別出現一次，我們會說「上午」10時、「晚上」8時去分別兩者。而在電子時鐘上，為了區分日間或夜晚，電子時鐘就會採用24小時報時制。在中午12時後，會順序顯示為13:00、14:00、15:00、16:00……以此類推，直到晚上12時，即00:00重新計時，又開始全新的一天了。所以下午6時和18時是一樣的時間。

畫畫看

要炮製出美味的甜品，時間是最為重要的。請先看看時鐘，再根據各種甜品所需要烤焗的時間，在空白時鐘上畫出該甜品會在幾時、幾分完成（左邊時鐘顯示開始時間），記得時針和分針都要畫上啊！

1. 芝士蛋糕所需時間：30分鐘

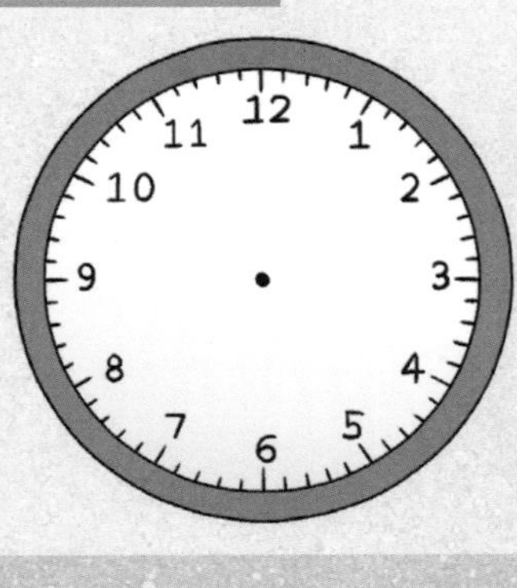

2. 紙杯蛋糕所需時間：20分鐘

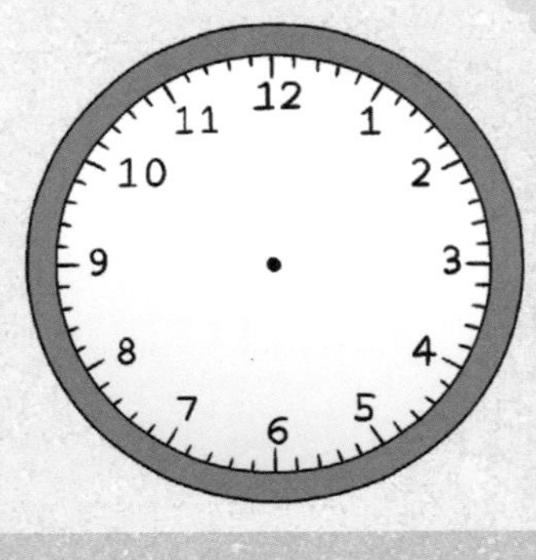

3. 蛋撻所需時間：15分鐘

計劃日程

很多人都認為一年是365天，但是有些年份其實是366天的！一年有365天的稱之為「平年」，而一年有366日的稱為「閏年」。那麼如何分辨某一年是平年還是閏年？最直接的方法就是查看2月有沒有29號，如果沒有，就是平年；有29號，即那一年多了一天，就是全年有366日的閏年了。每一年總共有12個月，每月的日數可看看以下表格：

	平年	閏年		平年	閏年
1月	31天		7月	31天	
2月	28天	29天	8月	31天	
3月	31天		9月	30天	
4月	30天		10月	31天	
5月	31天		11月	30天	
6月	30天		12月	31天	

而每7天為一個星期，有星期一、星期二、星期三、星期四、星期五、星期六、星期日。日期就是這樣組成的了。

為甚麼會分平年和閏年？

這是因為地球圍繞太陽公轉一周為1年，不過實際所需時間並非恰好整整1年，而是1年多一點點，所以每隔4年便會調整一次。

填填看

你和媽媽正在計劃2月份的日程，打算一起安排更多愉快的活動。試查看以下月曆，回答問題，將答案寫在橫線上。

2月

星期一	星期二	星期三	星期四	星期五	星期六	星期日
1 鋼琴班上課	2	3	4	5	6	7
8	9 農曆新年假期開始	10	11	12 初一	13 初二 到嫲嫲家拜年	14 初三
15	16	17	18	19 鋼琴班上課	20	21
22	23	24 農曆新年假期最後一天	25 上學日	26 元宵節	27	28 和小明一起去郊遊

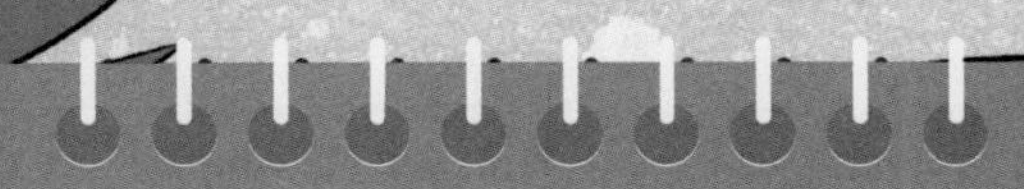

1. 這一年是平年還是閏年？

____

2. 農曆新年假期總共放多少天？

______________________天

3. 幾號會到嫲嫲家拜年？

______________________號

4. 星期幾會和小明一起郊遊？

星期______________________

5. 1號上完鋼琴班後，下一次上鋼琴班是幾號和星期幾呢？

__________號、星期__________

6. 下一個月(3月)總共有多少天？

______________________天

春夏秋冬的氣溫

有沒有感覺到最近天氣變冷或變暖呢？要更加準確、客觀知道有沒有變冷或變暖，我們可使用溫度計探測。溫度的單位是攝氏(℃)。除了室外、室內的環境有溫度，人的身體也有溫度，我們可使用探熱計去探測。一般人如探口腔，正常體溫約在36℃至37.5℃，超過了這個度數的話，就可能是發燒了，到時記得要去看醫生啊！

另一個溫度單位：華氏

溫度單位除了攝氏(℃，Celsius)外，還有華氏(℉，Fahrenheit)。1970年代以前，大多數歐美國家都使用華氏單位，而香港由於當時為英國殖民地，所以也同樣使用華氏。直至1970年代後，各國才逐漸由華氏轉用為攝氏。這兩個單位都是以人名命名的，瑞典科學家安德斯·攝爾修斯(Anders Celsius)提出攝氏的概念，華氏概念則為德國科學家華倫海特(Daniel Gabriel Fahrenheit)提出。

填填看

有沒有留意到香港近年的四季夏天特別長，春、秋二季又較短，而冬天又不算太冷呢？在香港天文台的網頁，可以搜尋到香港歷年來的溫度記錄。以下為2019年的全年氣溫，看看哪一個月最冷和最熱吧！在橫線上填上正確答案。

香港天文台

四季	月份	平均溫度(℃)
春季	3月	21.0
	4月	24.7
	5月	25.3
夏季	6月	29.0
	7月	29.5
	8月	29.0
	9月	28.7
秋季	10月	26.6
	11月	23.0
冬季	12月	19.1
	1月	18.1
	2月	20.1

1. 2019年______月的平均氣溫最高，是______℃。
2. 平均氣溫最低是______月，有______℃。
3. 這兩個月的平均氣溫相差最多，相差______℃。
4. ______月與______月的平均氣溫相同，是______℃。

快樂購物，加減消費

我們常常會到街市、百貨公司等地方購物，商品琳琅滿目，但可惜零用錢有限啊！故此我們應謹慎消費。消費時，先將身上的錢加起來，再計算想買東西的總價值。如果現金數字大於物品的總價值，就不怕沒有足夠金錢結帳了。

另外日常生活中我們經常會消耗不同的物品，即應用了減法的原理。例如電子遊戲機本來有三格電，玩着玩着就剩下兩格電了。購物時，也可以運用減數計算購物後會剩餘多少錢，多出的錢可以用來儲蓄，待日後有需要再使用。日常生活用到減法的例子可謂多不勝數呢！

古代中國數字：花碼

古代中國的數字和現在的不一樣，這種特別的數字稱為花碼。因為容易書寫，所以廣泛流行。在香港也有可能看到這種數字，例如小巴、舊式茶餐廳、中藥房的價錢牌，外出時不妨仔細觀察。

阿拉伯數字	0	1	2	3	4	5	6	7	8	9
花碼	〇	〡	〢	〣	〤	〥	〦	〧	〨	〩

算算看

你有$151，正打算為自己和家人買一些物品。看看百貨公司內貨品的價錢，並於購物清單寫上相應貨品的價錢，再將應付的金錢總數加起來，為所需付的紙幣或硬幣填上顏色，最後計算自己還剩下多少錢。

買給自己的：

3枝鉛筆　___+___+___ = ___

2包牛奶糖　_____+_____ = ___

爸爸吩咐買的：

1本記事簿　_______________

買給哥哥的生日禮物：

1個小機械人模型　_______________

貨品共值多少錢：___+___+___+___ = ___

剩餘多少錢：　_____-_____ = ___

你有$151，將要付的錢填色吧！

50	20
20	20
10	

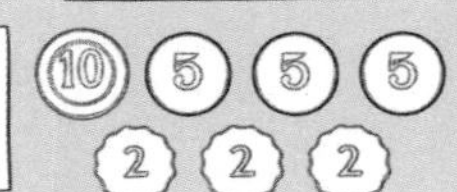

乘數算算美麗的小花

乘數是加數的連續計算，將同一數字相加至某特定次數就是乘數，所以乘數算是較快計算出加數的方法。例如第一天買2個蘋果，第二天再買2個蘋果，第三天同樣買了2個蘋果，如果以加數計算如下：

第一天：1個+1個=2個

第二天：1個+1個=2個

第三天：1個+1個=2個

三天內總共買了：2個+2個+2個
=6個

如果以乘數計算：

每天都買了2個蘋果×買了3次蘋果
=2個×3次
=6個

這樣不難看出
乘數確實計算
得較快啊！

那麼倍數又是甚麼呢？所謂「倍」其實就是次數或頻率，例如6×2＝12，6這個數字出現了2次，這個2次被稱為2倍，所以12是6的2倍。又例如5×3＝15，5這個數字出現了3次，即是15是5的3倍。

算算看

欣欣和小怡想一起製作乾花書籤送給她們的朋友，材料需要一整朵花和花瓣，所以她們到花店搜羅不同顏色的花。欣欣和小怡已選好一些花朵，試用乘數幫她們計算這裏有多少瓣花瓣和多少朵花吧！

1. 紅色花有＿＿＿朵，每朵都有＿＿＿瓣花瓣，總共有＿＿＿瓣花瓣。
   用乘數算式表示：＿＿×＿＿=＿＿

2. 黃色花有＿＿＿朵，每朵都有＿＿＿瓣花瓣，總共有＿＿＿瓣花瓣。
   用乘數算式表示：＿＿×＿＿=＿＿

3. 紫色花有＿＿＿朵，每朵都有＿＿＿瓣花瓣，總共有＿＿＿瓣花瓣。
   用乘數算式表示：＿＿×＿＿=＿＿

送禮物學除數

日常生活中總有需要平均分配某樣東西，例如分派學校午餐、分發生日蛋糕等，而除數就是「平均分配」的意思了。可先計算物件的總數，再看看要分配給多少人，最後計算每人可平均得到多少。例如8本書，平均分配給4個學生，即每個人有2本書，用算式表示是8÷4＝2。

剩下來的「餘數」

有時候會遇上無法平均分配的情況，分配後剩下來的稱為「餘數」。例如將1個蛋糕，分為10份，但只有9個人要吃，9個人每人可分得1件蛋糕，即有9件蛋糕被吃掉了！這時就會剩下1件蛋糕沒人吃，這1件就是餘下來的餘數。

分分看

聖誕節快到了，媽媽買了些玩具，打算捐贈給有需要的家庭，讓這些家庭的小孩也可收到禮物。你能否幫助媽媽將禮物平均分配在每一個禮物袋裏呢？先數各玩具的數量，然後在白色的玩具上，填上和禮物袋相同的顏色作平均分配，並於橫線上寫上正確的答案。

1. 熊公仔有________個，禮物袋有3個，每個禮物袋可被分到________個熊公仔。

2. 火箭模型有________個，禮物袋有3個，每個禮物袋可被分到________個火箭模型。

3. 玩具琴有________個，禮物袋有 2 個，每個禮物袋可被分到________個玩具琴。

機械人的幾何圖形

日常生活裏我們會看到不同形狀的東西，有些物件更會以不同形狀的部件組成，例如小屋、車輛等等。讓我們認識一下不同的形狀吧！

這是圓形，看來圓滾滾的，沒有任何尖角。鈕扣、薄餅、足球、時鐘等都是圓形。

這是正方形，由4條長度相等的邊組成，有4個角。方包、扭計骰等都是呈正方形。

這是長方形，比正方形長一點。一樣由4條邊組成，有4個角。黑板、書、信封等都是長方形。

這是三角形，由3條邊組成，有3個角。飯糰、三角尺、三角鐵等都是三角形。

像看鏡子一樣的對稱

對稱即是將物件分開一半看，其中一半會是另外一半的鏡射。鏡射就好像我們用鏡子照看自己，鏡子中會映出自己的樣貌。上面介紹的形狀都是對稱的，我們用一條虛線分開，就可清晰看到虛線的左邊和虛線的右邊反射出一模一樣的形象，這就是對稱了。

數數看

最近你數學測驗拿了滿分，爸爸特意買了一個機械人模型，送給你作為獎勵。這個機械人模型由不同形狀的配件組成。數數看這個機械人模型由多少個圓形、正方形、長方形和三角形組成，並將答案寫在橫線上吧！

日常生活中的直角

直角是由一條垂直的線和另一條水平的線相遇後所形成，看起來呈英文字母的大楷L。而要標示直角的位置，我們會畫上另一個大楷L「∟」，畫好後會形成一個小小的正方形。

90度的直角

試試畫一個圓形，再畫上一個十字分為四份，你能看得出直角嗎？沒錯，每一個扇形的角度分別都是90度的直角，它們加起來就是360度了。

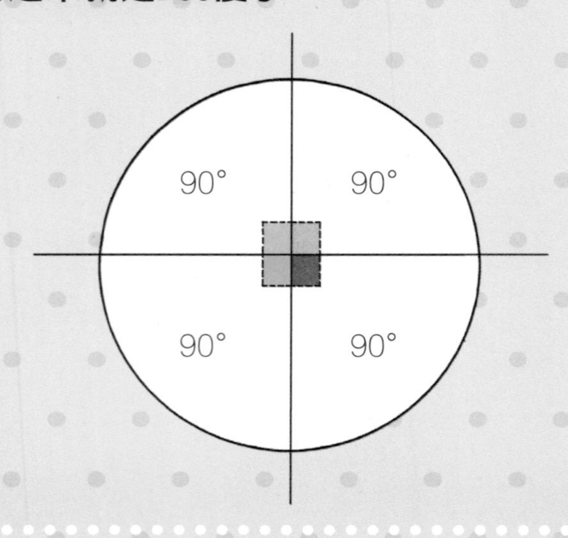

填填看

在數學堂學會了甚麼是直角後，小賢發現日常生活很多東西都有直角。他和朋友組成了「直角偵察隊」，看看他們在公園發現的物件究竟有沒有直角呢？如沒有，就在方格上劃上 ✗；如有，就在方格上劃上 ✓，並用顏色筆在有直角的地方畫上小小的「L」來表示吧！

用棒形圖看清數據

棒形圖有記錄數據的作用，畫出圖表可令數據結果更一目了然，是十分方便的記錄方式呢！棒形圖主要根據數據和想要調查的項目畫出棒形條。要學會閱讀棒形圖其實不難，一起來看看以下的數據：

上學方式	學生(人)
步行	10
巴士	5
小巴	8
校巴	4
地鐵	3

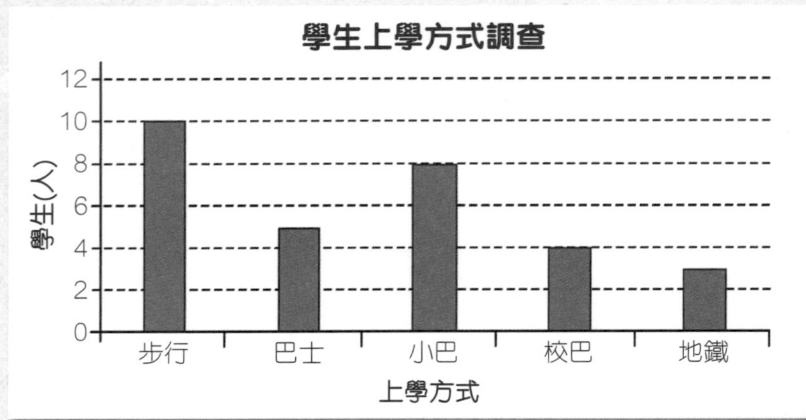

首先看到最上面的是標題，我們就知道了這是關於學生上學方式的調查。然後再看左邊的數字，顯示了每個項目有多少個學生選擇。最下面的則顯示了可選擇的項目。圖中可看到最長的棒形，即代表最多學生(共10個人)選擇步行回校，其次是小巴(共8個人)，而最少學生(共3個人)選擇乘地鐵上學。

棒形圖的不同形式

多於一條棒形的棒形圖稱為複合棒形圖。這時會用不同顏色的棒形去區分項目不同的性質。另外，棒形圖也可製作成橫向的。

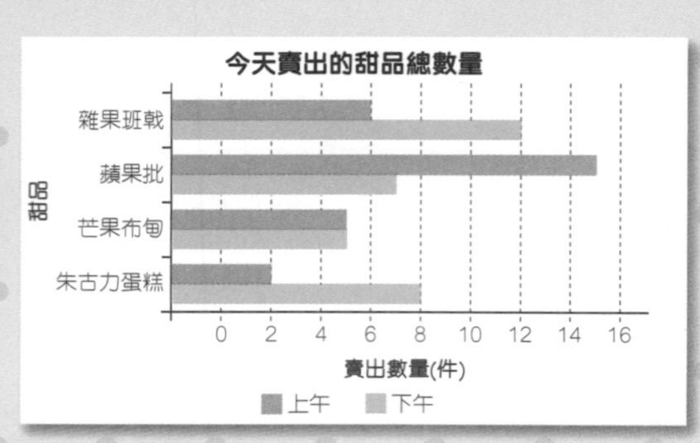

畫畫看

老師為全班舉行了「最喜愛動物選舉」。表格裏是老師搜集了全班同學的數據，看看他們最喜歡的動物是甚麼。試試用鉛筆和間尺畫出棒形圖，再在棒形上畫上相關動物的圖案吧！

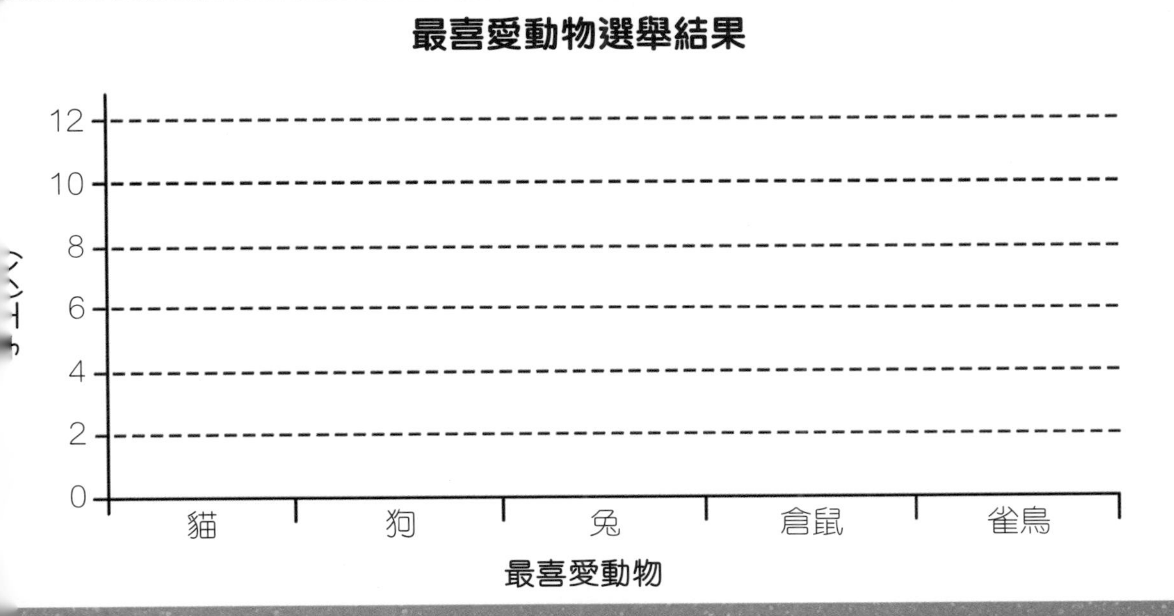

動物	學生(人)
貓	8
狗	9
兔	2
倉鼠	5
雀鳥	1

顯示比例的圓形圖

記錄數據的方法有很多種，除了之前的棒形圖外，圓形圖也可清晰記錄數據。圓形圖顧名思義是一整個圓，再將這個圓根據數據比例切開。數字較大，在圓形圖裏所佔的位置也會較大。圓形圖和棒形圖不同的地方在於，圓形圖是以百分比(%)記錄數據。看看下面的圓形圖，將它切開後，分別是10%、17%、33%和40%。將這些百分比相加，就可得出整個圓是100%了。

運動項目	百分比(%)
游泳	10
跑步	17
打籃球	33
踢足球	40

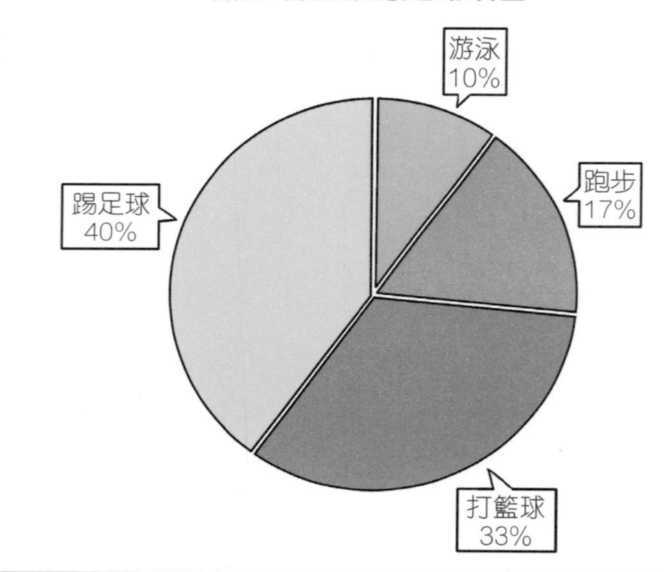

扇形圖

圓形圖看起來像被切開了的蛋糕，這些被切開的叫做扇形。扇形顯示了整體各項目所佔的比例，而每個扇形都有其角度。角度愈大，所佔的比例也愈大。

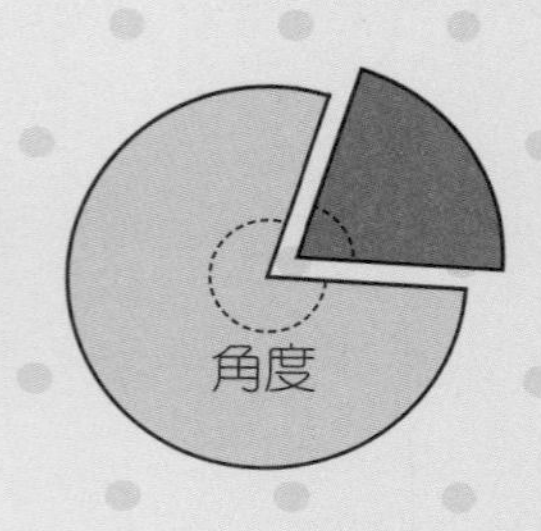

填填看

在香港，我們會看到不同種族的人，即使在學校，我們也會看到不同種族的同學。他們是來自哪裏的呢？讓我們看看以下數據，製作出圓形圖吧！請根據表格內的結果，對應圓形圖的比例，在空格內填上正確的百分比。

地方	百分比(%)
印尼人	30
歐美人	11
菲律賓人	36
印度人	7
其他	16

走出迷宮的方向

現今科技進步，手機內的地圖和自動定位功能都十分方便。但萬一在沒有手機的情況下，只手持地圖，又想找到目的地，應如何是好？這時候就可使用指南針。指南針上的磁針多漆有兩種顏色，如右圖所示，磁針紅色的部分一定是指向北面(N)，灰色部分指向南面(S)，另外在指南針的右邊是東面(E)，左邊是西面(W)。東、南、西、北是找出方向的四個基本方位。

不只東南西北

除了東南西北4個方位外，要更精確找出位置，其實還可細分為8個方位：東、東南、南、西南、西、西北、北、東北。

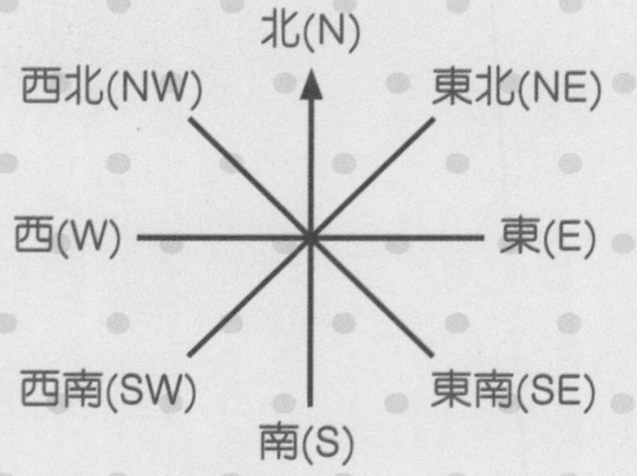

畫畫看

小怡參加了在郊野公園舉辦的迷宮遊戲活動，只要走到終點就可以得到小禮物。你能根據指示帶她走出迷宮嗎？請看以下指示，用筆畫出路線。

可能發生的概率是多少？

有時候我們談及某件事有沒有機會發生，其實就是在談「概率」。一定會發生的事情，例如今天是2月1號，明天就是2月2號、太陽每天都從東方升起等等，用百分比(%)顯示，即這事情是100%會發生的。有些事情一定不會發生，例如有兩個太陽、一副撲克牌中同時出現同圖案同數字的牌等等，我們會以0%作表示。有些事情則可能會發生，這代表了事情的概率在不可能的0%至一定發生的100%之間，例如今天有90%可能下雨、比賽有50%機會贏等等。

擲骰的概率

概率有時候也可以計算出來，我們玩遊戲時常用到的骰子就是一例。骰子總共有6面，包括點數1、2、3、4、5、6。擲一次骰，6個點數我們都有可能擲到，沒有哪一個擲到的機會較大或較小，所以擲出6個點數的概率都是一樣的六分之一，約為16.67%。

連連看

電視正播放天氣預報，試評估以下天氣預報內容是「可能發生」、「一定發生」、還是「不可能發生」。請將以下相關句子用筆和間尺連起來。

明日有80%機會下雨。	明天太陽在西方落下。	黃色暴雨警告和黑色暴雨警告同時懸掛。	今日有60%機會晴天。

一定發生	可能發生	不可能發生

電腦先生的二進制

我們一般看到的數字，例如1、8、10、30……這些數字都是用十進制作記數方法。十進制的意思是「逢10進1」，當數字是整10時，其數字會往上進一位。其實另外還有其他記數方法，例如二進制。二進制只有「0」和「1」這兩種數字，其意思是「逢2進1」，看看以下表格就更清楚明白了。

十進制	0	1	2	3	4	5	6	7	8	9	10
二進制	0	1	10	11	100	101	110	111	1000	1001	1010

電腦為何用二進制？

所有指令和數據都必須變成二進制的數字，電腦才懂得處理。這麼多的數字，為何偏偏用只有「0」和「1」的二進制呢？因為在20世紀時，人類發明的集成電路只有「開啟」和「關閉」兩種模式，即只可以用0或1去表示。這種電路比較穩定，因只有0和1，令運算過程也加快。後來應用在電腦上時，這種需要短時間高速處理多個程式的電子產品，使用二進制就最適合不過了。

畫畫看

在電腦堂上，老師分派了幾組卡牌，這些卡牌有十進制和二進制的數字。大家要將這些數字輸入給電腦先生，但只懂閱讀二進制的電腦先生看不明白十進制，請在不同的數字卡牌中，選擇二進制的數字給他，並在二進制的卡牌填上顏色吧！

13　　680　　101

130　　1110　　10100

參考答案

P.3 齊來磅一磅

1. 茶包重600g
2. 薯片重100g
3. 蘋果重950g
4. 相機重350g
5. 檸檬茶重250g

P.5 廚房尋寶找出容量單位

1. 毫升/ 升（洗潔精）
2. 毫升/ 升（油）
3. 毫升/ 杯/ 安士（量杯）
4. 升/ 安士（牛奶）
5. 毫升/ 升/ 安士（水樽）

P.7 炮製美味甜品的時間

1.

2.

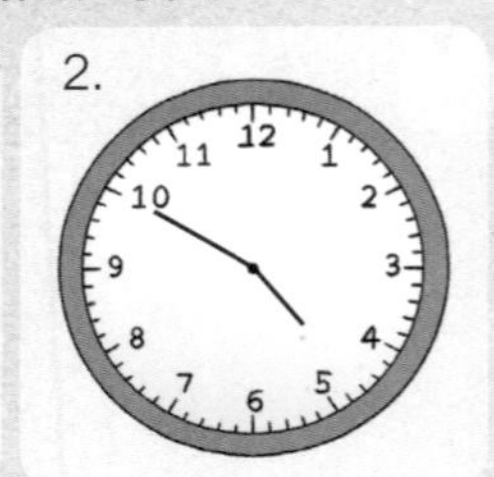

3.

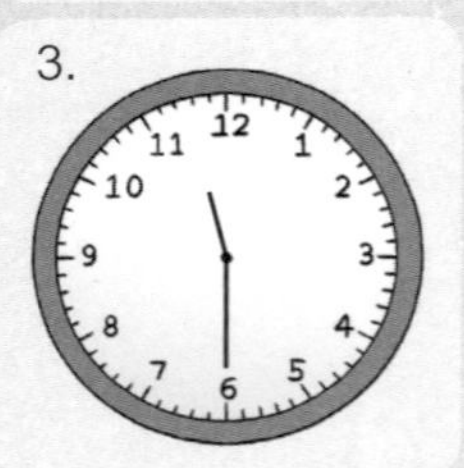

P.9 計劃日程

1. 平年
2. 16天
3. 13號
4. 星期日
5. 19號、星期五
6. 31天

P.11 春夏秋冬的氣溫

1. 7、29.5
2. 1、18.1
3. 11.4
4. 6、8、29.0

P.13 快樂購物，加減消費

3枝鉛筆：8+8+8=24

2包牛奶糖：10+10=20

1本記事簿：30

1個小機械人模型：63

共值：24+20+30+63=137

剩餘：151-137=14

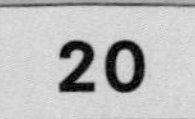

20

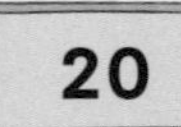

10

P.15 乘數算算美麗的小花

1. 3、5、15、3×5=15
2. 5、6、30、5×6=30
3. 9、4、36、9×4=36

P.17 送禮物學除數

1. 9、3　　2. 18、6　　3. 4、2

P.19 機械人的幾何圖形

4、1、4、3

P.21 日常生活中的直角

註：以上答案只列出部分直角，其他直角可自己試試發掘！